LE FANTÔME D'À CÔTÉ

D'autres livres de R.L. Stine
qui te donneront la

L'ABOMINABLE HOMME DES NEIGES

L'ATTAQUE DES ŒUFS DE MARS

L'ATTAQUE DU MUTANT

LE CAMP DE LA PEUR

COMMENT TUER UN MONSTRE

CONCENTRÉ DE CERVEAU

LE COUP DU LAPIN

LES ÉPOUVANTAILS DE MINUIT

LE FANTÔME DE LA PLAGE

LE FANTÔME DÉCAPITÉ

LE FANTÔME DU CAMP

LA MAISON DES MORTS

LA MALÉDICTION DE LA MOMIE

LE MASQUE HANTÉ

LE MUTANT AU SANG VERT

LE PARC DE L'HORREUR

SANG DE MONSTRE

Chair de poule®

LE FANTÔME D'À CÔTÉ

R.L. STINE

Catalogage avant publication de Bibliothèque et
Archives Canada

Stine, R. L.
Le fantôme d'à côté / R.L. Stine;
texte français de Marie-Hélène Delval.

(Chair de poule)
Traduction de : The Ghost Next Door.
Pour les 9-12 ans.
ISBN 0-439-94820-7

I. Delval, Marie-Hélène II. Titre.
III. Collection : Stine, R. L. Chair de poule.

PZ23.S85Fanf 2005   j813'.54   C2005-903058-5

5 4 3 2 1   Imprimé au Canada   05 06 07 08

Anna se réveilla brusquement.

D'où venaient ces crépitements sinistres, ces lueurs de feu?

Elle se redressa dans son lit, les yeux écarquillés d'horreur en découvrant le brasier qui l'encerclait : sa chambre brûlait!

Les flammes rampaient le long de la commode, léchaient le papier peint, qui se boursouflait sur le mur. La porte du placard s'était ouverte et le feu dévorait les étagères.

Même le miroir était en flammes. Anna y apercevait son reflet, forme noire sur un fond dansant de lueurs jaunes et rouges.

Une fumée âcre la prit à la gorge. Il était trop tard pour appeler au secours.

Pourtant, elle hurla.

Anna s'assit, le cœur battant, la bouche sèche.

Non, elle n'était pas entourée de fumée ni de flammes. Elle avait fait un rêve horrible, si... si réel! Mais ce n'était qu'un rêve.

La vague de terreur qui l'avait submergée reflua peu à peu et Anna se laissa retomber sur l'oreiller avec soulagement.

— Quel horrible cauchemar! murmura-t-elle.

Attendant que se calment les battements désordonnés de son cœur, elle fixa le plafond clair, familier et protecteur.

Elle revoyait le papier peint se détachant du mur sous la morsure du feu, les tourbillons de fumée noire, le miroir qui brûlait.

« Au moins, se dit-elle, voilà un rêve qui sort de l'ordinaire! »

Elle rejeta la couverture, regarda le réveil posé sur sa table de nuit : huit heures et quart. C'était bien tôt, pour un jour de vacances!

« Seulement huit heures et quart? s'étonna-t-elle. J'ai l'impression d'avoir dormi une éternité! Quel jour est-on, d'ailleurs? »

Anna avait du mal à se repérer dans cette longue succession de jours, si vides qu'ils semblaient se fondre les uns dans les autres.

Elle était bien seule, cet été. Toutes ses amies étaient parties. Et il y avait si peu de choses à faire, pour une fille de douze ans, dans une petite ville comme Greenwood Falls!

Elle lisait, regardait la télé, faisait le tour de la ville en vélo.

Elle s'ennuyait.

Mais ce matin-là, Anna sauta sur ses pieds avec le sourire. Elle était vivante! Sa maison n'avait pas brûlé. Elle n'était pas restée prisonnière d'un mur de flammes crépitantes!

Elle enfila un short vert et un débardeur orange, des couleurs voyantes, ses préférées. Elle aimait aussi le rouge et le jaune, couleurs du feu. Le feu!

Anna secoua la tête comme pour chasser les dernières images de son rêve, donna un coup de brosse à ses courts cheveux blonds et descendit à la cuisine. Elle sentait déjà la bonne odeur du pain grillé.

— Salut! lança-t-elle joyeusement.

Ce matin, elle était même contente de voir Teddy et Thomas, ses petits frères, les jumeaux de six ans, de vrais pestes! Assis de chaque côté de la table, ils s'envoyaient une balle par-dessus les bols du déjeuner.

— Combien de fois vous ai-je dit de ne pas jouer à la balle dans la maison? cria leur mère.

— Un million de fois, répondit Teddy.

Thomas se tordit de rire. Il trouvait toujours son frère très drôle.

Anna s'avança vers sa mère et, passant les bras autour de sa taille, lui posa un gros baiser sur la joue.

— Arrête, Anna! s'écria Mme Dunoy. J'ai failli casser l'œuf à côté!

La balle rebondit sur la table, frappa le mur et atterrit sur la cuisinière, à un cheveu de la poêle crépitante.

— Joli tir! applaudit Anna, moqueuse.

Les jumeaux pouffèrent de rire. Mme Dunoy se retourna, les sourcils froncés :

— Si cette balle tombe dans la poêle, je vous la ferai avaler avec vos œufs! menaça-t-elle en brandissant une fourchette.

— Ils sont d'humeur farceuse aujourd'hui! commenta Anna.

— Tu les as déjà vus sérieux? soupira sa mère en jetant la balle dans le couloir.

— Moi, je suis de super bonne humeur, ce matin! déclara Anna en contemplant, par la fenêtre ouverte, un ciel d'un bleu parfait.

— Ah? Et pourquoi? demanda sa mère.

— Oh, pour rien, répondit Anna en haussant

les épaules.

Elle n'avait pas envie de raconter son cauchemar, ni d'expliquer combien il était bon de se sentir en vie, tout simplement.

— Où est papa?

— Il est parti travailler tôt, dit Mme Dunoy en secouant la poêle pour que les œufs ne collent pas. Nous n'avons pas tous un été de vacances. Qu'est-ce que tu vas faire aujourd'hui? ajouta-t-elle.

— La même chose que d'habitude, dit Anna en sortant le jus d'orange du réfrigérateur. C'est-à-dire rien de particulier.

Sa mère soupira.

— Je suis désolée que tu passes un été aussi ennuyeux. Nous n'avions vraiment pas d'argent pour t'envoyer à un camp d'été, cette année. L'été prochain, peut-être…

— Ne t'en fais pas, maman. Ce n'est pas si mal que ça. Alors, qu'avez-vous pensé de mes histoires de fantômes, hier soir? ajouta-t-elle en se tournant vers les jumeaux. Terrifiantes, hein?

— C'était nul, crâna Teddy.

— Ça ne faisait même pas peur! renchérit Thomas.

— Pourtant, vous aviez l'air effrayés.

Après le déjeuner, Anna aida sa mère à ranger. Puis elle déclara :

— Je vais aller faire un tour en vélo avant qu'il fasse trop chaud.

Elle sortit et se dirigea vers le garage, le nez en l'air, goûtant la tiédeur du soleil sur son visage quand soudain...

— Hé! Attention! lança une voix affolée.

Anna sentit une violente douleur dans son dos et fut projetée à terre.

2

Anna atterrit rudement sur les coudes et les genoux. Elle se retourna pour voir ce qui l'avait heurtée. C'était une bicyclette. Le garçon qui la montait sauta vivement à terre, laissant tomber l'engin sur l'herbe :

— Je suis désolé, dit-il. Je ne t'avais pas vue.

Anna ne put s'empêcher de penser :

« Ça alors! Je porte un short vert et un débardeur orange, et il ne m'a pas vue! Il doit être daltonien! »

Fusillant le coupable du regard, elle se remit sur ses pieds et frotta les brins d'herbe collés à ses genoux.

— J'ai freiné, reprit le garçon, mais c'était trop tard. Tu as surgi comme ça, comme... comme... Enfin, je ne t'ai pas vue!

Il avait des cheveux roux, couleur de maïs grillé, des yeux bruns et un visage piqueté de taches de rousseur.

— Qu'est-ce que tu fais à vélo dans notre cour? demanda Anna.

— Votre cour? s'étonna-t-il en fronçant les sourcils. Et depuis quand?

— Depuis bien avant que je sois née! répliqua Anna sèchement.

— Et tu habites cette maison? enchaîna-t-il, visiblement intrigué.

Anna acquiesça tout en examinant l'état de ses coudes. Ils étaient sales, mais au moins, il n'y avait pas d'écorchure.

— Et toi, dit-elle, où habites-tu?

— À côté, répondit-il en désignant la bâtisse en bois de style ranch, de l'autre côté de l'allée.

— Hein?

Anna le regarda, stupéfaite.

— C'est impossible! déclara-t-elle.

— Comment ça, impossible?

— Cette maison est vide! Elle est inhabitée depuis le départ de la famille Dodson!

— Eh bien maintenant, elle ne l'est plus. Nous y vivons, maman et moi!

« Ça ne tient pas debout, se dit Anna. Comment ont-ils pu s'installer à côté sans que je m'en aperçoive? Hier encore, j'ai joué dans le jardin avec les jumeaux une bonne partie de l'après-midi et cette maison était fermée, j'en suis sûre! »

Et elle demanda :

— Comment t'appelles-tu?

— Je m'appelle Dany. Dany Anderson.

— Moi, c'est Anna. J'ai douze ans, et toi?

— Pareil.

Il se pencha pour examiner son vélo, enleva une touffe d'herbe qui s'était accrochée dans les rayons de la roue arrière.

— Eh bien, Anna, dit-il, nous sommes voisins! Mais comment ça se fait que je ne t'ai encore jamais vue?

— Tu veux dire, comment ça se fait que *je* ne t'ai pas encore vu! répliqua-t-elle.

Dany haussa les épaules en esquissant un sourire timide.

— Tu viens d'emménager? poursuivit Anna, voulant élucider ce mystère.

— Nooon, répondit-il, les yeux fixés sur son vélo.

— Non? Alors, tu habites ici depuis combien de temps?

— Ça fait un moment.

« C'est impossible! » continuait de penser Anna. Elle s'apprêtait à poser une nouvelle question quand une voix aiguë l'interpella :

— Anna! Thomas ne veut pas me rendre mon Gameboy!

C'était Teddy qui criait depuis le seuil de la cuisine.

— Dis-le à maman! rétorqua Anna.

La porte claqua bruyamment. Anna se tourna de nouveau vers Dany, mais le garçon n'était plus là.

Il avait disparu comme par enchantement.

Le facteur passait habituellement un peu
avant midi. Anna courut à la boîte aux lettres,
pleine d'espoir. Mais il n'y avait pas de courrier.

Déçue, elle monta dans sa chambre et rédigea
aussitôt une lettre à son amie Sara.

Chère Sara,

*J'espère que tu ne t'amuses pas, parce que tu
n'as pas tenu ta promesse! Tu m'avais dit que tu
m'écrirais chaque jour, et je n'ai encore rien reçu!*

*Tu ne peux pas imaginer à quel point je
m'embête ici! C'est MORTEL! Hier soir, je
m'ennuyais tellement que j'ai allumé un feu
derrière le garage pour faire plaisir aux jumeaux.
On a fait semblant d'être dans un camp de
vacances et je leur ai raconté d'épouvantables
histoires de fantômes. des histoires si terrifiantes
que je commençais même à voir des ombres
bizarres bouger autour de nous!*

Il s'est tout de même passé quelque chose ici :
nous avons de nouveaux voisins. Il y a un garçon
de notre âge, un rouquin, il s'appelle Dany. Mais
quand sont-ils arrivés? Mystère! Pourtant, un
camion de déménagement, ça se voit, non? Je vais
mener ma petite enquête, et la prochaine fois,
j'aurai sans doute du nouveau à te raconter.

Mais maintenant, C'EST À TOI de m'écrire! Si
je ne reçois pas très vite une lettre, je te souhaite
de tomber dans un fossé plein d'herbe à puce!

Je t'embrasse. Anna

Anna plia sa lettre et la glissa dans une
enveloppe. De son bureau, elle apercevait la
maison d'à côté. « Je me demande si c'est la
chambre de Dany », pensa-t-elle en fixant la
fenêtre presque en face de la sienne.

Mais les rideaux étaient tirés.

Anna dévala l'escalier, sa lettre à la main et
sortit. Il faisait très chaud dehors, il n'y avait
pas un souffle d'air. Anna jeta un coup d'œil vers
la maison voisine, mais elle ne remarqua pas
le moindre signe de vie. La porte était fermée
et, derrière la baie vitrée, le salon paraissait
inhabité. On aurait dit une maison vide.

Anna décida de marcher jusqu'à la poste.
Une petite promenade lui changerait les idées.

Tout en fredonnant, elle passa devant la maison de Mme Quentin. Cette dernière était penchée sur une plate-bande et enlevait les mauvaises herbes.

— Bonjour, madame Quentin! Vous allez bien?

Mme Quentin ne leva même pas la tête.

— Quelle vieille chipie! grommela Anna. Elle fait semblant de ne pas me voir!

Elle poursuivit son chemin en fredonnant.

Pour arriver à la poste, il suffisait de traverser le petit jardin municipal, autour duquel se trouvaient également une banque, un salon de coiffure, une épicerie et un garage. Il y avait aussi la boutique de Harper, le marchand de crème glacée, et le restaurant Collins. Par la vitrine du salon de coiffure, Anna apercevait Ernest, le coiffeur, qui lisait un magazine, assis dans l'un de ses fauteuils en attendant un éventuel client.

« Quelle vie intense dans cette petite ville! » ironisa Anna.

Elle traversa le jardin et glissa son enveloppe dans la boîte aux lettres.

Elle s'apprêtait à faire demi-tour lorsque retentirent des exclamations furieuses. Le vacarme provenait de l'arrière du bâtiment. Un homme proférait des injures. Des voix jeunes lui répondaient sur le même ton. Puis Anna entendit un jappement aigu, un cri de bête blessée.

— Hé! cria Anna en se précipitant, qu'est-ce
qui se passe?

M. Chesnay, le postier, menaçait du poing
un grand chien efflanqué qui gémissait, la tête
basse. Il y avait trois garçons : Dany et deux
autres, qu'Anna n'avait jamais vus. L'un d'eux,
un grand maigre avec une tignasse blonde, saisit
l'animal par le cou et le caressa pour le calmer.

— Vous n'avez pas le droit de jeter de pierres
à mon chien! cria-t-il.

Son compagnon, un petit gars trapu avec une
drôle de tête hérissée de cheveux raides, fixait le
postier, les poings serrés.

Dany, tout pâle, reculait prudemment.

— Fichez le camp d'ici, bande de voyous!
gronda le postier.

C'était un gros homme rougeaud, totalement
chauve, qui avait une énorme moustache et un

long nez pointu.

— Je dirai à mon père que vous avez blessé Rusty! menaça le grand blond.

— Tu pourras lui dire aussi que tu t'es montré grossier envers un fonctionnaire de l'État! cria le postier. Et que je déposerai une plainte contre vous si je vous surprends encore une fois ici, sales voyous!

— Nous ne sommes pas des voyous! répliqua le petit brun.

Les trois garçons remontèrent la ruelle en courant, le chien sur leurs talons. M. Chesnay passa devant Anna, tellement hors de lui qu'il la bouscula sans même lui jeter une regard, et poussa la porte du bureau de poste en jurant.

« Quel méchant homme! » pensa Anna.

Tous les enfants détestaient le postier. Et il les détestait aussi. Il ne cessait de les injurier parce qu'ils traînaient dans le jardin, parce qu'ils écoutaient de la musique, parce qu'ils riaient trop fort ou parce qu'ils osaient jouer dans « sa » ruelle! Un soir d'Halloween, Anna et toute une bande de copains avaient voulu dessiner des monstres sur ses fenêtres avec de la peinture en bombe. Mais M. Chesnay n'était pas d'humeur à supporter les farces d'Halloween. Les enfants l'avaient trouvé debout devant sa porte, un énorme fusil à la main! Ils avaient rebroussé chemin, déçus, mais surtout très effrayés.

La ruelle avait retrouvé sa tranquillité et Anna repartit vers le jardin en pensant à Dany. Il lui avait paru si terrifié, si pâle qu'il semblait presque transparent sous le soleil torride de l'après-midi, comme si la lumière l'avait traversé. Ses deux copains, eux, n'avaient guère l'air impressionnés! De vrais durs! Ou alors ils faisaient semblant.

— Je crois que je vais rentrer, soupira Anna. Il y a sûrement un feuilleton à la télé.

Elle s'engagea dans l'avenue bordée de grands ormes. Leur feuillage était si épais qu'il ne laissait presque pas passer les rayons du soleil.

Elle avait fait la moitié du chemin quand elle crut distinguer une silhouette noire entre les arbres. Anna la prit d'abord pour une branche qui bougeait. Mais ce n'était pas une branche. C'était... c'était bien quelqu'un.

L'inconnu se tenait dans les ombres mouvantes des feuilles, très grand, enveloppé d'un large manteau noir, le visage dissimulé. Anna sentit un frisson glacé la parcourir.

« Qui est-ce? Pourquoi se cache-t-il? Pourquoi

m'observe-t-il? »

L'inconnu leva lentement la main, comme pour lui faire signe d'approcher. Le cœur battant à se rompre, Anna fit un pas en arrière.

Y avait-il vraiment quelqu'un? Tout à coup, Anna n'était plus sûre de ce qu'elle voyait : une mystérieuse silhouette d'homme ou juste un jeu d'ombres et de lumière?

Alors elle entendit un chuchotement :

— Anna... Anna...

L'ombre noire s'approchait lentement.

— Non! cria Anna.

La panique l'envahit et elle s'enfuit en courant. Ses genoux tremblaient, ses jambes étaient de plomb. Mais elle se forçait à courir, plus vite, plus vite.

Est-ce qu'il la suivait?

5

Les poumons en feu, Anna traversa la rue
sans même regarder s'il n'y avait pas de voiture.
Elle était presque arrivée chez elle!

Est-ce qu'il la suivait? Elle n'osait pas se
retourner. Les ombres des arbres l'enveloppaient,
la relâchaient, semblant jouer avec elle comme
un chat avec une souris.

— Anna... Anna...

La voix chuchotante était froide comme la
mort.

« Il connaît mon nom! » pensa-t-elle soudain,
luttant pour trouver son souffle, forçant ses
jambes à courir encore.

Brusquement, elle s'arrêta et fit volte-face :

— Qui êtes-vous? Que me voulez-vous?

Mais il n'y avait personne.

Fouillant du regard les haies bordant les
jardins, les ouvertures sombres des portes

de garages, Anna chercha en vain la haute silhouette noire qui avait murmuré son nom.

La vision qui l'avait à ce point terrifiée n'était probablement qu'une illusion d'optique.

Oui, mais... Une illusion d'optique peut-elle vous appeler par votre nom?

« Je lis trop d'histoires de fantômes! pensa Anna. Alors je vois des silhouettes dans les ombres des arbres et j'entends mon nom dans le bruissement des feuilles! »

Un peu rassérénée, mais pas encore tout à fait rassurée, elle rentra à la maison et referma vivement la porte derrière elle.

Pendant le souper, Anna décida de ne pas raconter cette histoire à ses parents. De toute façon, ils ne la croiraient pas! Elle préféra parler des voisins.

— Quoi? s'exclama son père. La maison des Dodson est occupée?

La fourchette en l'air, il fixait Anna à travers ses lunettes carrées, tout étonné.

— Il y a un garçon de mon âge, précisa Anna. Il s'appelle Dany. C'est un rouquin plein de taches de rousseur, plutôt sympa.

— Ça, c'est bien, fit distraitement sa mère, qui

essayait d'empêcher les jumeaux de se jeter leur purée à la tête.

Anna n'était même pas sûre qu'elle ait bien entendu. Elle reprit :

— Je me demande comment ils ont pu s'installer sans qu'on s'en aperçoive! As-tu remarqué un camion de déménagement, ces jours-ci?

— Non, dit son père en se remettant à manger.

— Tout de même, c'est bizarre, non? insista Anna.

À cet instant, Thomas tomba en arrière avec sa chaise. Sa tête heurta violemment le plancher et il se mit à hurler. Son père et sa mère se précipitèrent vers lui, tandis que Teddy criait de sa voix perçante :

— Je ne l'ai pas poussé! Ce n'est pas moi! Je n'ai pas fait exprès!

Constatant que personne ne s'intéressait à son énigme, Anna rapporta son assiette à la cuisine et monta dans sa chambre. Penchée à sa fenêtre, elle observa longuement le mur de la maison d'à côté, aux vitres obscurcies par des rideaux.

— Dany, dit-elle à mi-voix, qui es-tu? D'où viens-tu?

Quelques jours plus tard, en fin d'après-midi,

elle aperçut Dany dans la cour.

— Salut! dit-elle, tout heureuse.

Il s'amusait à lancer une balle de tennis contre sa maison. La balle faisait un petit bruit sec chaque fois qu'elle heurtait le mur de bois. *Tchoc!*

— Oh! Salut! Ça va? fit Dany en sursautant.

Tchoc! La balle rebondit sous la gouttière. Anna s'approcha.

— Ça fait un moment qu'on ne s'est pas rencontrés! dit-elle prudemment.

— Ouais...

Tchoc!

— Je t'ai vu l'autre jour, derrière la poste, risqua Anna.

— Hein?

— Je t'ai vu derrière la poste, avec tes copains. Ce Chesnay est très méchant!

— Tu sais, on ne faisait rien de mal. On se baladait, c'est tout.

Tchoc!

— Qu'est-ce que tu fais, cet été? Tu t'ennuies ici, comme moi?

— C'est à peu près ça!

Tchoc!

Dany manqua la balle et dut la poursuivre

jusqu'au garage. En revenant, il dévisagea Anna comme s'il la voyait pour la première fois.

— C'était Alain et Fred, expliqua-t-il. Des copains de l'école.

« Comment peut-il avoir des copains d'école ici s'il vient juste d'emménager? » s'interrogea Anna. Elle reprit :

— Où vas-tu en classe?

— Au collège de l'avenue des Ormes.

Tchoc!

— Eh! Mais c'est mon école! s'écria Anna. Pourquoi on ne s'est jamais rencontrés? Tu es dans quelle classe?

— Je vais entrer en huitième.

Tchoc!

— Moi aussi! s'écria Anna. Tu connais Sara Clade?

— Non.

— Et Alex Goodman, tu le connais?

Dany secoua la tête :

— Je ne vois pas qui c'est.

— Ça, c'est bizarre! pensa tout haut Anna.

Dany lança la balle un peu trop haut. Elle tomba sur le toit et roula dans la gouttière.

— Zut! grogna Dany, l'air embêté.

— Alors tu es dans la même école et dans la

même classe, et tu ne connais pas ces élèves? En plus, je ne t'ai jamais vu! Comment ça se fait?

— Je ne sais pas! avoua-t-il en grattant sa tête rousse.

— C'est bizarre! répéta Anna.

Comme il se dirigeait vers le garage, Dany entra dans l'ombre de la maison. Anna eut alors l'étrange impression qu'il était absorbé par l'obscurité.

« C'est impossible, se disait-elle. Si nous étions à la même école, je l'aurais déjà aperçu! Il me raconte des histoires... »

Dany était devenu invisible.

— Où est-il passé? murmura Anna.

Elle se rappela soudain leur toute première rencontre, quand il avait disparu si brusquement. Cette fois encore, il s'était évanoui comme...

Comme un fantôme.

Un fantôme! Le mot avait jailli dans la tête d'Anna. Au même instant, Dany réapparut, traînant derrière lui une lourde échelle métallique.

— Qu'est-ce que tu vas faire? s'inquiéta Anna.

— Récupérer ma balle, dit-il.

Il appuya l'échelle contre le mur et commença aussitôt l'escalade.

— Ne monte pas! supplia-t-elle, prise d'un brusque frisson.

— Quoi? cria Dany, déjà perché sur le dernier barreau.

— Descends, Dany!

Pourquoi avait-elle cette étrange sensation au creux de l'estomac?

— Ne t'inquiète pas, lança Dany, je suis un véritable acrobate! Maman dit toujours que je devrais me faire engager dans un cirque!

Avant qu'Anna ait pu protester, il était déjà sur le rebord du toit.

— Regarde un peu! cria-t-il en levant les deux bras, triomphant.

Une épouvantable angoisse serrait maintenant la poitrine d'Anna comme un étau.

— Dany, s'il te plaît, descends!

Sans l'écouter, Dany se pencha pour retirer la balle de la gouttière. Anna retenait son souffle. Et soudain, il perdit l'équilibre. Ses yeux s'agrandirent de surprise, ses mains battirent l'air cherchant à agripper quelque chose.

Puis il tomba.

Anna poussa un cri et ferma les yeux. « Il faut que j'appelle à l'aide! » Malgré sa peur, elle s'obligea à regarder par terre, là où Dany était tombé.

À sa profonde stupéfaction, elle le découvrit debout sur ses deux pieds.

— Tu... tu n'as rien? bégaya-t-elle.

Dany se contentait de sourire sans répondre.

Et Anna pensait : « Il est tombé du toit, et ça n'a pas fait de bruit! »

Saisissant Dany par l'épaule, elle le secoua :

— Tu es sûr que tu vas bien?

— Tout à fait bien. Je suis comme les chats, je retombe toujours sur mes pattes!

Et il fit passer sa balle tranquillement d'une main à l'autre.

— Tu aurais pu te tuer! cria Anna, sa peur se muant soudain en colère.

— Je ne risquais rien, fit-il avec un drôle de petit rire.

Et il se remit à lancer sa balle.

Tchoc!

— Je t'ai vu tomber la tête la première, reprit Anna. Comment tu t'es pris pour atterrir sur tes pieds?

— Magie, magie! chantonna Dany.

— Mais... mais...

À ce moment, on appela :

— Anna!

C'était sa mère, debout sur le seuil de la cuisine.

— Oui, maman?

— Je sors faire des courses. Peux-tu surveiller Thomas et Teddy?

Anna se tourna vers Dany :

— Il faut que j'y aille. À plus tard!

— Salut! répondit-il avec un grand sourire.

Tchoc!

Le bruit de la balle rebondissant sur le mur de bois accompagna Anna tout le long de l'allée. Elle revoyait Dany basculant du toit et continuait de se demander : « Comment a-t-il pu retomber sur ses pieds sans faire le moindre bruit? »

Dans la cuisine, sa mère fouillait dans son sac,

à la recherche de ses clés de voiture

— Je n'en ai pas pour plus d'une heure, dit-elle. Tâche d'empêcher tes frères de s'étriper l'un l'autre si tu peux!

— J'étais avec Dany, dit Anna. Tu sais, notre nouveau voisin.

Mme Dunoy avait enfin mis la main sur ses clés.

Elle ferma son sac et se dirigea vers la porte.

— Ce garçon, Dany, tu l'as vu? insista Anna.

Mais Mme Dunoy était déjà partie.

Après le souper, Anna monta dans sa chambre et se dirigea vers la fenêtre en pensant à Dany. Repoussant les rideaux, elle appuya son front contre la vitre froide et observa longuement la maison d'à côté.

Le soleil avait disparu derrière les arbres, la bâtisse était plongée dans l'ombre et les fenêtres masquées par d'épais rideaux ne laissaient pas filtrer la moindre lumière. On aurait dit une maison morte. Anna réalisa soudain qu'elle n'avait jamais vu personne y entrer ni en sortir.

Elle recula, saisie d'effroi. Elle se rappela le matin de sa première rencontre avec Dany, quand il avait surgi de nulle part pour disparaître presque aussitôt. Elle se rappela comment il avait semblé se fondre dans l'ombre de la maison, quand il était parti chercher l'échelle.

Elle se rappela sa chute silencieuse.

Dany apparaissait et disparaissait comme... comme un fantôme.

« Arrête de penser des trucs pareils! se reprocha-t-elle à elle-même. Les histoires de fantômes, ça commence à bien faire! »

Mais trop de questions sans réponse se bousculaient maintenant dans sa tête.

Comment Dany et sa mère avaient-ils pu s'installer sans que personne le remarque? Comment pouvait-il être dans le même collège, dans une des septièmes, sans qu'elle l'ait jamais rencontré? Il ne connaissait pas les copains d'Anna, et elle ne connaissait pas les siens, pourquoi?

C'était vraiment trop bizarre.

Si seulement Anna avait eu quelqu'un avec qui discuter de tout ça! Mais ses amies étaient toutes parties. Et ses parents n'écouteraient même pas de pareilles balivernes!

« Il faut que je trouve une preuve », se dit-elle.

Et pour commencer, elle résolut d'aller voir de

plus près la maison d'à côté.

Elle sortit discrètement, refermant sans bruit la porte derrière elle. La nuit était tiède et paisible, à peine éclairée par un pâle croissant de lune. Les grillons chantaient dans l'herbe. La maison des Anderson formait une masse sombre et silencieuse contre le ciel nocturne. Anna vit de la lumière dans la cuisine.

Le cœur battant, elle monta les trois marches de ciment et appuya son visage contre la porte vitrée, essayant de voir à l'intérieur.

Soudain, elle poussa un cri et recula d'un bond.

7

De l'autre côté de la vitre, Dany la fixait. Anna faillit tomber à la renverse.

Sur la table, le couvert était mis. Une grande femme blonde et mince, la mère de Dany sûrement, sortait un plat du four.

La porte s'ouvrit et Dany passa la tête, étonné :

— Salut, Anna! Qu'est-ce que tu veux?

— Rien! Je... euh... non rien, vraiment, balbutia-t-elle, toute rougissante.

Dany ne la quittait pas des yeux. Sa bouche se fendit en un large sourire :

— Tu veux entrer? Maman va servir le souper, mais ça ne fait rien...

— Non, non! cria Anna d'une voix trop forte. Je ne... je veux dire... je...

En même temps elle pensait : « Je me conduis vraiment comme la dernière des imbéciles! »

Tout haut, elle s'exclama :

— À plus tard!

Et dégringolant les marches, elle galopa jusque chez elle sans se retourner. Jamais elle ne s'était sentie aussi ridicule, jamais!

Le lendemain après-midi, quand elle vit Dany sortir de chez lui, Anna se cacha dans le garage en sentant de nouveau une rougeur de honte lui dévorer les joues.

« Si j'ai l'intention de jouer les espionnes, j'ai intérêt à retrouver mon sang-froid et ne pas me conduire de nouveau comme une idiote! » se dit-elle.

Dany monta sur son vélo et, debout sur les pédales, remonta la rue à vive allure. Anna courut jusqu'à la haie pour voir quelle direction il prenait. Puis elle retourna en vitesse au garage et saisit sa propre bicyclette. « Il va en ville, retrouver ses copains, probablement. Je lui laisse un peu d'avance et je le suis! »

Quand Dany disparut au tournant, Anna sauta en selle. Elle pédala vigoureusement, traversant les taches de soleil qui filtrait à travers les arbres. Tout en roulant, elle pensait à sa copine Sara : allait-elle enfin recevoir une lettre aujourd'hui?

Anna aurait tellement voulu que Sara soit là

en ce moment! À elles deux, elles feraient une super équipe! Elle n'aurait pas perdu contenance comme ça, hier soir, si Sara avait été avec elle!

Anna était presque arrivée devant le jardin public. Elle freina, laissant traîner ses pieds sur le sol. La main en visière au-dessus du front à cause du soleil, elle chercha Dany des yeux.

« Dany, où es-tu? As-tu rejoint tes copains? Qu'allez-vous faire? »

Devant la poste, Anna mit pied à terre, appuya son vélo contre le mur et marcha jusqu'à la ruelle de derrière. Elle était vide.

« Bon sang, où est-il passé? Il était à cinquante mètres devant moi; il n'a pas pu disparaître comme ça! »

Elle fit le tour de la petite place, vint jeter un coup d'œil dans la boutique du marchand de crème glacée. Pas de Dany.

Dépitée, elle abandonna ses recherches et reprit le chemin de la maison.

Elle n'était plus très loin de chez elle quand elle sentit une présence. Le cœur battant, elle accéléra. Alors, au moment où elle s'y attendait le moins, la silhouette noire surgit d'entre les arbres et se mit à flotter vers elle.

« C'est lui! Il est encore là! Il existe donc

vraiment! » Appuyant sur les pédales de toutes ses forces, Anna tenta de fuir.

Mais l'ombre glissait à ses côtés comme un spectre. Anna suffoqua, ses jambes se raidirent.

« Je... je ne peux plus avancer! »

Le soleil s'obscurcit. Autour d'Anna, le monde devint noir. Un souffle glacé l'enveloppa. Alors elle vit ses yeux! Deux yeux rougeoyant comme des braises au milieu des cendres.

— Anna... Anna... chuchota la voix.

— Non! hurla-t-elle.

Envahie par la terreur, elle perdit l'équilibre, tenta de se redresser... Trop tard!

— Anna... Anna...

Les mains tendues en avant pour amortir sa chute, elle atterrit rudement, la bicyclette rebondissant sur elle.

C'était fini. L'ombre aux yeux de braise allait s'emparer d'elle!

— Anna! Anna!

Le chuchotement devint un cri :

— Anna!

Elle s'assit péniblement, luttant pour reprendre son souffle, agitant les mains devant elle dans un geste désespéré de protection :

— Laissez-moi! Je vous en prie!

— Anna! C'est moi!

Levant la tête, elle vit un visage penché sur elle. C'était Dany.

— L'Ombre! cria-t-elle. L'Ombre!

Dany lui demanda gentiment :

— Ça va? Tu peux te lever? Je t'ai vue tomber. Tu as heurté une pierre ou quelque chose?

— Non, non, murmura-t-elle en secouant la tête. C'était... c'était l'Ombre! Elle voulait me prendre et...

— Quoi? fit Dany.

Une expression de profond étonnement se peignit sur son visage :

— De quoi tu parles? Qui a voulu te prendre?

— Il connaît mon nom, souffla Anna. Il me suit, il m'appelle!

Dany l'observait, les sourcils froncés :

— Tu t'es cogné la tête contre quelque chose, Anna? Tu ne te sens pas bien? Je devrais peut-être aller chercher du secours!

— Non... je... euh...

Fixant Dany d'un œil affolé, Anna demanda :

— Tu ne l'as pas vu? Une créature toute en noir, une ombre avec des yeux de feu!

— Il n'y avait que toi sur la route, dit-il doucement. Tu pédalais rudement vite! Et puis soudain, tu t'es mise à zigzaguer et tu es tombée.

— Et tu n'as vu personne? Un... une ombre noire qui me poursuivait?

— Personne, répéta Dany.

Passant les doigts dans ses cheveux, Anna murmura :

— Je me suis peut-être bien cogné la tête, après tout...

Dany lui tendit la main :

— Tu crois que tu peux te lever?

Refusant son aide, elle se remit sur ses pieds,

fouillant du regard la rangée d'arbres qui bordait les deux côtés de la route. Mais elle ne vit rien d'anormal. Elle avait mal partout et son cœur battait encore à tout rompre.

— Avec ce soleil, dit Dany, il y a des ombres et des lumières tout le long de la route. Tu as cru voir quelque chose et tu as eu peur. C'est ton imagination, Anna.

— Sans doute, murmura-t-elle.

Mais elle n'était pas convaincue.

Le lendemain, Anna courut voir s'il y avait du courrier. Elle ouvrit la boîte. Rien.

Affreusement déçue, elle referma violemment la petite porte en bois.

Sara était partie depuis plus de deux semaines maintenant, et elle n'avait même pas envoyé une carte postale!

Anna revint en traînant les pieds et jeta un coup d'œil vers la maison d'à côté. Les nuages blancs qui dérivaient très haut dans le ciel se reflétaient dans la grande vitre du salon. Dany était-il là? Elle ne l'avait pas vu depuis sa chute à bicyclette.

« Il faut que j'écrive à Sara, il faut que je lui raconte toutes ces choses bizarres qui m'arrivent en ce moment! »

Comme il faisait vraiment trop chaud dans sa chambre, Anna décida de s'installer dehors, sous le gros érable planté au milieu du jardin. Une épaisse couverture de nuages avait totalement envahi le ciel. Le soleil luttait pour percer leur blancheur cotonneuse. L'ombre de l'arbre semblait douce et protectrice. Anna bâilla. Elle n'avait pas très bien dormi la nuit précédente.

« Je crois que je vais m'offrir une petite sieste tout à l'heure, se dit-elle. Mais d'abord, j'écris ma lettre. » Assise dans l'herbe, le dos appuyé au tronc solide, elle commença :

Chère Sara,

Que deviens-tu? J'espère de tout cœur que tu es tombée au fond d'un lac et que tu t'es noyée! Ce serait ta seule excuse pour ne pas m'avoir écrit une seule lettre depuis tout ce temps!

Les choses ne tournent vraiment pas rond ici, tu sais! Tu te souviens de ce garçon dont je t'ai parlé, Dany, le rouquin avec des taches de rousseur?

Ne ris pas, Sara : je crois que Dany est un FANTÔME! Écoute un peu :

1. Dany et sa mère sont apparus brusquement dans la maison d'à côté. Personne ne les a vus

s'installer, ni moi, ni mes parents, et pourtant
nous sommes là tout le temps.

2. Dany prétend qu'il va au collège de l'avenue
des Ormes et qu'il entre, lui aussi, en huitième.
Alors comment ça se fait qu'on ne l'ait jamais vu?

3. Parfois il disparaît, pouf! comme ça. Et une
fois, il est tombé du toit la tête la première, et il a
atterri sur ses deux pieds sans faire le moindre
bruit!

4. Hier j'ai été poursuivie par une ombre
terrifiante et je suis tombée de vélo. Quand j'ai
ouvert les yeux, l'ombre avait disparu et il y avait
Dany à la place.

Je te le dis, Sara, il se passe des choses bizarres
ici. Je voudrais tellement que tu sois avec moi! Tu
penses sûrement que je suis devenue marteau!
Peut-être que je ne vais même pas t'envoyer cette
lettre, d'ailleurs. J'ai du mal à y croire moi-même!

Comment ça va, là-bas? J'espère que tu as été
mordue par un serpent venimeux et que c'est pour
ça que tu n'as pas pu m'écrire!

Je t'embrasse, Anna

Anna laissa retomber son stylo.

« Est-ce que je peux vraiment envoyer cette
lettre? Sara va me prendre pour une folle! »

Non, elle devait la poster. Il fallait absolument

qu'elle partage tout ça avec quelqu'un, sinon elle allait vraiment devenir folle!

Le soleil avait finalement réussi à percer les nuages et des taches mouvantes de lumière éclaboussaient le papier blanc. Anna leva la tête et sursauta : quelqu'un, debout devant elle, la regardait fixement.

— Dany!

— Salut, Anna, dit-il doucement.

Le soleil, dans son dos, lui faisait une auréole éblouissante. Il avait l'air d'une apparition.

— Je... je ne t'ai pas entendu arriver! balbutia Anna.

— Donne-moi cette lettre, Anna, dit Dany d'une voix douce mais ferme.

— Qu'est-ce que tu dis?

— Donne-moi cette lettre, répéta-t-il, la main tendue.

Serrant la lettre contre elle, Anna le regarda en plissant les yeux, éblouie. Les rayons du soleil semblaient passer à travers lui.

Il se pencha, cherchant à lui arracher la feuille.

— Cette lettre! Donne-la moi!

— Mais... Mais, Dany... pourquoi? supplia-t-elle d'une petite voix.

— Je ne peux pas te laisser envoyer ça, dit Dany.

— Mais c'est MA lettre! Pourquoi est-ce que je ne pourrais pas l'envoyer?

— Parce que tu as découvert la vérité, Anna. Et je ne peux pas te laisser la révéler à qui que ce soit!

9

— Alors j'avais deviné, murmura Anna. Tu es bien un fantôme.

Elle frissonna, saisie par une vague de peur. Les questions se pressaient dans sa tête, des questions terrifiantes : « Quand es-tu mort, Dany? Pourquoi es-tu venu me hanter? Pourquoi moi? Qu'est-ce que tu me veux? »

— Donne-moi cette lettre, Anna, répéta Dany. Personne ne doit la lire. Personne ne doit savoir.

Les rayons du soleil le traversaient et Anna ferma les yeux, aveuglée.

— Qu'est-ce que tu me veux, Dany? murmura-t-elle.

Il ne répondit pas.

Et quand Anna rouvrit enfin les yeux, il y avait DEUX visages penchés sur elle, deux faces grimaçantes. Les jumeaux étaient plantés devant elle, pliés en deux de rire.

— Tu dormais! s'exclama Teddy.

— Et tu ronflais! ajouta Thomas.

— Quoi?

Anna se frotta les yeux, essayant de retrouver ses idées. Elle avait le cou raide et le dos douloureux.

— Tu veux savoir comment tu ronflais? demanda Teddy. Tu faisais comme ça!

Et il émit d'horribles renâclements de goret.

Les deux petits monstres se laissèrent tomber dans l'herbe en s'étouffant de rire.

— J'ai fait un mauvais rêve, dit Anna.

Elle avait parlé pour elle plus que pour ses frères; d'ailleurs, ils ne l'écoutaient pas.

Sautant sur ses pieds, elle s'étira pour décoincer sa nuque meurtrie. S'endormir contre le tronc d'un arbre n'était pas une très bonne idée!

Elle regarda la maison de Dany et frissonna. Ce rêve avait semblé si réel!

Elle plia sa lettre en songeant : « Parfois les rêves vous obligent à voir ce que vous ne voulez pas voir! »

Et elle se jura de découvrir la vérité.

Le lendemain soir, Anna décida de rendre

visite à Dany. Elle lui proposerait d'aller manger un cornet de crème glacée en ville; il accepterait sûrement.

Il avait plu une partie de la journée, et pourtant la nuit était encore étouffante. Un pâle croissant de lune tentait d'émerger du cocon de nuages.

À quelques mètres de la porte des Anderson, Anna hésita. Un carré de lumière jaune se reflétait sur l'herbe humide.

— Au moins, ce soir, je sais ce que je vais dire quand il ouvrira la porte!

Prenant une profonde inspiration, elle frappa au carreau.

Personne ne vint ouvrir. Elle frappa encore.

Pas de réponse. La maison de Dany était totalement silencieuse.

Anna appuya son visage contre la vitre pour regarder à l'intérieur et poussa une exclamation de surprise : la mère de Dany était assise devant la table, le dos tourné. Ses cheveux luisaient sous la lumière de la lampe. Ses mains entouraient un bol fumant.

« Pourquoi ne vient-elle pas m'ouvrir? » se demanda Anna.

Elle leva le poing et cogna à plusieurs reprises.

La jeune femme ne se retourna même pas. Elle porta le bol à ses lèvres et but une gorgée sans prêter la moindre attention aux coups frappés à la porte. Anna tambourina encore. Elle appela :

— Mme Anderson! C'est moi, Anna. Je suis votre voisine!

La mère de Dany reposa calmement le bol sur la table. Elle ne bougea pas de sa chaise.

— Mme Anderson!

« Est-ce qu'elle ne m'entend pas? » s'inquiéta Anna, incapable de détacher son regard des minces épaules de la femme assise à quelques pas d'elle. Soudain, Anna frissonna.

« Je sais pourquoi elle ne m'entend pas. Je sais pourquoi elle ne vient pas m'ouvrir. C'est parce qu'elle N'EXISTE PAS! »

Terrifiée par cette idée, Anna recula vivement, se réfugiant dans l'ombre.

10

Toute tremblante, Anna s'entoura la poitrine
de ses bras comme pour se protéger de ses
propres pensées. « Mme Anderson n'existe pas,
et Dany non plus. Ce sont des fantômes! Et moi,
je suis là, toute seule dans le noir, à espionner
un garçon qui n'est même pas vivant! »

La lumière s'éteignit dans la cuisine, et la
maison retomba dans l'obscurité. Seul un pâle
reflet de lune allumait une vague lueur dans
l'herbe humide. Anna restait là, immobile,
essayant de calmer le flot d'images terrifiantes
qui déferlaient dans sa tête.

Enfin, elle se décida à bouger. Elle remonta
l'allée vers sa maison d'où sortaient la musique
et les voix que la télé déversait dans le salon,
le rire des jumeaux qui chahutaient dans leur
chambre.

« Des fantômes? Les fantômes n'existent pas! »

Un peu rassérénée, elle constata alors que sa bouche était sèche comme du carton et que l'air tiède et humide de la nuit lui collait à la peau. De la crème glacée! Elle avait envie de crème glacée. C'était d'ailleurs pour inviter Dany à aller en manger qu'elle était venue frapper chez lui.

Elle courut dire à ses parents qu'elle allait faire un tour en ville.

Quand elle ouvrit la porte du salon, ils se tournèrent vers elle avec un air interrogateur, et tout à coup, elle eut envie de tout leur raconter.

— Les gens d'à côté, lâcha-t-elle, eh bien, ils n'existent pas! Ce sont des fantômes, je le sais!

— Anna, s'il te plaît, on regarde quelque chose, fit son père en désignant l'écran, une bouteille de boisson gazeuse à la main.

Et aussitôt, elle se rabroua elle-même : « Ils ne me croient pas, évidemment! Qui voudrait croire une histoire pareille? »

Ayant décidé de ne pas insister, Anna monta à sa chambre, prit un billet de cinq dollars de son portefeuille et le mit dans sa poche.

Anna remonta la rue au petit trot en direction de chez Harper, le marchand de crème glacée. Les lampadaires projetaient sur les trottoirs de larges cercles de lumière bleutée. Les feuillages des grands arbres chuchotaient doucement dans la brise nocturne.

« Leurs troncs ressemblent à des fantômes, de noirs fantômes qui peuvent tendre leurs bras feuillus pour m'emprisonner! »

Un étrange malaise saisit Anna. Elle courut plus vite, passa devant la poste fermée. Personne dans le jardin public, pas une voiture dans les rues.

Seule la façade de la boutique de Harper, illuminée au néon, donnait un semblant d'animation à la petite place déserte. Les grandes portes en verre étaient largement ouvertes, comme pour inviter à entrer.

Anna avait chaud d'avoir couru dans la nuit tiède, et pourtant elle se sentait glacée.

« Qu'est-ce que j'ai? » se demanda-t-elle.

Comme elle faisait un pas vers l'entrée, un garçon jaillit hors de la boutique, suivi d'un deuxième, puis d'un troisième. Stupéfaite, Anna reconnut Dany, Alain et Fred. Chacun d'eux tenait un cornet, et ils s'enfuyaient en courant. Des cris furieux retentirent. Puis quelqu'un heurta violemment Anna. Elle perdit l'équilibre et s'étala de tout son long sur le trottoir.

Le choc lui coupa le souffle.

« Que s'est-il passé? Qui m'a poussée? »

Se relevant sur un coude, elle vit M. Harper qui avait bondi hors de sa boutique et criait à tue-tête.

Anna se remit péniblement sur ses pieds, très en colère.

« Qu'est-ce qui lui prend? Il est devenu fou? Il pourrait au moins s'excuser! »

Elle examina ses genoux. Rien de grave.

M. Harper rentrait dans sa boutique, furieux :

— Mais qu'est-ce qu'ils ont dans la tête, ces petits voyous? Ils prennent des cornets de crème glacée et ils filent sans payer! Ils n'ont donc pas de parents pour leur apprendre l'honnêteté?

Anna s'élança à la recherche des jeunes voleurs. Pourquoi avaient-ils fait une chose aussi stupide? Et si M. Harper les avaient rattrapés? Ce serait tout de même trop bête d'être arrêté pour trois malheureux cornets!

La place était loin derrière maintenant. Anna longeait une rue bordée de maisons entourées de larges pelouses. Arrivée à un carrefour, elle s'arrêta sous la lumière crue d'un réverbère. La plupart des volets étaient fermés. Pas une lampe allumée sous les porches. Les rues étaient vides.

Alors elle aperçut les trois garçons. Ils étaient un peu plus loin, à demi cachés derrière une haie.

— Hé, les gars! cria-t-elle.

Elle les entendit rire et blaguer tout en dégustant leur crème glacée. Ils ne l'avaient pas vue.

Anna s'avança de l'autre côté de la rue, dissimulée dans l'ombre.

— C'était la soirée spéciale Harper, les gars! ricanait Fred. Cornets gratuits pour tout le monde!

Alain pouffa, puis tous deux se tournèrent vers Dany. La lumière du lampadaire leur faisait de longues figures jaunes.

— Ça ne va pas, Dany? fit Fred.

— Tu as avalé ta crème glacée de travers? railla Alain.

— Il a eu la peur de sa vie! commenta Fred.

— Ouais! Ça se voyait sur sa tête! ajouta Alain.

— Tu parles! répliqua Dany. J'étais dehors le premier, et vous étiez si lents à me suivre que j'ai bien cru que j'allais être obligé de venir vous sortir de là!

— C'est ça! ricana Fred.

Anna n'osait plus bouger. « Pourquoi Dany parle-t-il comme ça? Il joue au dur, il essaie de leur ressembler. »

— C'était super chouette! reprit Dany en croquant dans son cornet. Mais maintenant, on a intérêt à être prudents et à ne pas trop traîner du côté de chez Harper pendant un petit moment!

— Hé! On n'a pas dévalisé une banque! s'écria Alain. C'était seulement trois cornets!

Fred lui glissa quelque chose à l'oreille, et les deux garçons partirent d'un rire aigu.

— Pas si fort, murmura Dany. On pourrait nous entendre.

— On retourne chez Harper? suggéra Alain. Je mangerais bien un autre cornet!

Fred hennit de rire et ils claquèrent leurs mains l'une contre l'autre en signe de connivence. Dany rit avec eux, puis il dit :

— Bon, les gars, je ferais mieux de rentrer!

Mais avant que les deux autres aient eu le temps de répondre, des phares puissants illuminèrent la rue. « La police! s'affola Anna. Ils sont pris! »

La voiture s'arrêta. Le conducteur passa la tête par la portière :

— Dites donc, jeunes gens...

Les garçons se figèrent, méfiants.

— ... Savez vous où se trouve la route 112?

Fred et Alain eurent un petit rire nerveux. Dany continuait de fixer le conducteur, l'air effaré.

— À droite au bout de la Grand-Rue, indiqua Alain avec un soupir de soulagement.

Ce n'était pas la police!

L'homme remercia et le véhicule disparut au bout de la rue.

Soudain, Alain s'écria en montrant quelque chose du doigt :

— Hé, regardez ça!

Devant la maison suivante, il y avait une boîte aux lettres perchée sur un piquet, surmontée d'un cygne de bois aux ailes gracieusement déployées.

— C'est la maison de Chesnay, notre cher postier! dit Alain. Vous avez vu ce travail?

— Ouais, dit Fred, Chesnay l'a sculpté lui-même. C'est sa fierté!

Et poussant brutalement Dany, il ricana :

— Montre un peu si tu es costaud!

— Hé! protesta Dany, qu'est-ce que tu fais?

— Arrache ce piquet si tu oses! ordonna Fred.

— Ouais, arrache-le! renchérit Alain. Tu te souviens de ce que tu nous as dit, que tu étais toujours prêt à relever un défi!

Anna s'était avancée pour mieux voir. Son étrange malaise l'oppressait de nouveau. Elle avait la certitude qu'un danger menaçait Dany, quelque chose de terrible. Mais quoi?

« Il faut que je l'empêche de faire ça! »

Elle fit un pas en avant. Mais au moment où elle ouvrait la bouche pour appeler, un voile obscur l'enveloppa.

Elle crut d'abord que les lampadaires s'étaient brusquement éteints. Puis elle vit les deux cercles rouges, les deux yeux de braise qui la fixaient.

Elle voulut crier, mais sa voix se perdit dans

une nuit sans fond.

Elle voulut courir, mais l'Ombre se dressait devant elle avec ses yeux brûlants.

Anna se sentit perdue : « Cette fois, il me tient! »

— Anna... Anna...

La hideuse figure était si près qu'Anna pouvait sentir son haleine, tantôt brûlante, tantôt glacée. Les yeux rougeoyaient maintenant comme des flammes.

— Laissez-moi... gémit Anna.

Alors les phares d'une voiture l'éblouirent.

Anna ferma les yeux.

Quand elle les rouvrit, la rue était de nouveau comme avant.

L'Ombre s'était dissoute dans la nuit, comme si la lumière des phares l'avait effrayée.

De l'autre côté de la rue, Fred secouait Dany :

— Vas-y! Arrache ça!

— C'est débile! protesta Dany.

— C'est génial! insista Fred. Personne ne l'aime, cet homme!

— Allez, Dany, arrache cette boîte aux lettres! ordonna Alain.

— Non! fit Dany en essayant de reculer.

Mais Fred le retint par les épaules et susurra :

— Serais-tu une poule mouillée?

— Même pas une poule! railla Alain. Un ridicule petit poussin! Pouic-pouic-pouic!

— Je ne suis pas une poule mouillée! protesta Dany, vexé.

— Alors prouve-le! le provoqua Alain.

Toujours cachée de l'autre côté de la rue, Anna implorait de toutes ses forces : « Ne fais pas ça, Dany, s'il te plaît! »

Dany hésita, puis il saisit le cygne de bois par les ailes et tira.

Rien ne bougea.

Alors il agrippa le piquet de bois, juste en dessous de la boîte, et il tira encore, sans succès.

— C'est enfoncé trop profond, dit-il. Je n'y arriverai pas.

— On va t'aider, dit Fred. Allez, à trois, on tire tous ensemble : un, deux ...

— Je ne ferais pas ça si j'étais vous! gronda tout à coup une voix furieuse.

M. Chesnay était sorti de chez lui et les fixaient d'un regard de haine.

12

Le postier empoigna Dany et le secoua si violemment que l'une des ailes du cygne resta dans la main du garçon. Il la laissa tomber par terre.

— Bande de voyous! hurla M. Chesnay, fou de rage. Je vais vous... je vais vous...!

« Dany, voulut crier Anna, sauve-toi! »

Mais elle était si affolée qu'elle n'émit qu'un vague gémissement.

Cependant, Dany s'était libéré de la poigne du postier, et les trois garçons s'enfuirent au galop.

— Et si je vous revois par ici, je vous recevrai à coups de fusil, vous entendez? À coups de fusil!

M. Chesnay ramassa l'aile brisée et l'examina longuement en hochant la tête.

Anna s'éloigna à son tour, prenant soin de rester dissimulée dans l'ombre des haies. Voyant les trois complices tourner au coin de la rue et se diriger vers le jardin public, elle les suivit.

Le jardin était désert. Même la boutique de Harper était fermée. Alain et Fred s'affalèrent au pied d'un arbre. Dany s'appuya contre le tronc, hors d'haleine.

— Tu as vu sa mine quand l'aile de son cygne est restée dans ta main? hoqueta Fred.

— J'ai cru que les yeux allaient lui sortir de la tête! pouffa Alain.

Dany ne riait pas. Il frottait son épaule douloureuse.

— J'ai bien cru qu'il allait m'arracher le bras! gémit-il.

— Poursuis-le en cour! suggéra Alain.

Et les deux compères se remirent à rugir de rire.

— Non, sérieusement, se plaignit Dany, il m'a vraiment fait mal!

— Il nous le paiera, gronda Alain. Tu verras. La prochaine fois...

— On ferait mieux de le laisser tranquille, suggéra Dany. Il a un fusil.

— Ne t'en fais pas, déclara Fred, il a dit ça pour nous faire peur!

— Je n'en suis pas sûr, murmura Dany.

— Tout de même, gronda Fred, je crois qu'il

mérite une bonne leçon.

— Parfaitement, approuva Alain. On va lui apprendre à brutaliser de pauvres enfants qui ne lui ont rien fait!

— Bon, j'y vais, les interrompit Dany. À demain, les gars!

— À demain! dit Fred.

— Au moins, on a eu des cornets gratuits, pas vrai? conclut Alain.

Et pendant que Dany s'éloignait rapidement, Anna entendit les ricanements qui saluaient son départ. « Ces deux-là finiront par avoir des problèmes! » Il fallait absolument qu'elle parle à Dany.

— Hé! Dany, cria-t-elle en se lançant à sa poursuite, attends-moi!

Il sursauta, s'arrêta.

— Anna! Qu'est-ce que tu fais là?

— Je t'ai suivi, avoua-t-elle. J'étais à la boutique de crème glacée.

— Et tu... tu as tout vu?

Anna hocha la tête.

— Qu'est-ce que tu fais avec ces deux minables, Dany?

Il détourna les yeux, dansant d'un pied sur l'autre.

— Tu ne les connais pas. En fait ils sont...
ils sont sympa.

— N'empêche que vous allez vous retrouver
dans de beaux draps si vous continuez comme ça.

Dany haussa les épaules :

— Mais non! Ils font semblant d'être des durs
pour se donner un genre. Mais je t'assure qu'ils
sont sympa.

— Ce sont tout de même des voleurs! répliqua
Anna.

Ils marchèrent un moment côte à côte en
silence. Le pâle croissant de lune qui jouait
à cache-cache avec les nuages faisait bouger
étrangement les ombres des arbres sur le sol.
Le feuillage bruissait doucement.

Soudain, Anna se rappela pourquoi elle se
trouvait là. Elle avait une question à poser.

— Je suis venue frapper chez toi, tout à
l'heure, dit-elle.

— Ah oui? Et alors?

— Je pensais qu'on pourrait aller manger un
cornet! poursuivit-elle avec un petit rire.

Dany se tut.

— Ta mère était dans la cuisine.

Dany se taisait toujours la regardant comme
s'il avait voulu lire dans ses pensées.

— J'ai frappé, dit-elle. J'ai frappé plusieurs fois, très fort.

Anna repoussa une mèche de cheveux qui lui retombait sur le front.

— Je voyais ta mère assise devant la table, continua-t-elle. Elle me tournait le dos. J'ai frappé, frappé. J'ai même appelé. Elle n'a pas bougé.

Dany fourra les mains dans ses poches et continua de marcher en regardant le bout de ses pieds.

— C'était tellement bizarre! reprit Anna. Je frappais, je frappais, et c'était comme si ta mère était dans... dans un autre monde que le nôtre.

Ils étaient presque arrivés chez eux. La lumière était allumée sous le porche de la maison d'Anna. Celle de Dany était totalement obscure.

Anna avait la bouche sèche. Oserait-elle poser la seule question qu'elle avait vraiment en tête : « Es-tu un fantôme, Dany? Ta mère et toi, êtes-vous des fantômes? »

Mais on ne pose pas une question pareille!

— Dany, reprit-elle doucement, pourquoi ta mère n'est-elle pas venue m'ouvrir?

Dany s'arrêta. Son visage était étrangement

pâle sous la lumière de la lune.

— Pourquoi, Dany?

Il hésita, puis lâcha :

— Je pense qu'il vaut mieux que je te dise la vérité.

Sa voix ressemblait au chuchotement des feuilles qui remuaient doucement au-dessus de leurs têtes.

13

Dany s'approcha et fixa Anna.

— Je vais te dire pourquoi ma mère n'est pas venue t'ouvrir.

Anna se raidit. Un frisson glacé lui courut dans le dos.

« Est-ce que j'ai peur de Dany? »

— C'est que... hésita Dany, ma mère, eh bien... ma mère est sourde!

— Hein?

Anna n'était pas sûre d'avoir bien entendu. C'était tellement différent de ce qu'elle attendait!

— Il y a quelques années, reprit Dany en baissant la voix, elle a été gravement malade. L'infection a atteint les deux oreilles. Maintenant, elle est sourde, totalement. C'est pour ça qu'elle ne t'a pas ouvert. Elle ne t'a pas entendue.

— Je comprends, murmura Anna. Je suis désolée, Dany, je ne savais pas. Je pensais...

enfin... je ne savais pas quoi penser.

— Maman ne veut pas que ça se sache, expliqua Dany. Elle ne veut pas qu'on la regarde avec pitié. Elle a appris à lire sur les lèvres et c'est difficile de deviner qu'elle n'entend pas!

— Je ne le dirai à personne, promit Anna.

Elle se sentait soudain totalement stupide.

— À demain! lança Dany.

— À demain! répondit distraitement Anna.

Elle pensait à ce qu'elle venait d'apprendre. Finalement, elle se retourna pour faire un dernier signe de la main. Mais Dany avait déjà disparu.

Anna marcha pensivement vers le porche de sa maison. Le scénario imaginaire qu'elle avait bâti autour de Dany et de sa mère était en train de s'écrouler. « Quelle idiote je fais! Décidément, la solitude ne me réussit pas! Je me suis complètement monté la tête! »

La lampe allumée sous le porche dessinait sur le sol un large cône de lumière jaune. Anna était presque arrivée devant sa porte quand l'obscurité l'enveloppa. Deux yeux rougeoyants flambaient dans la face de l'Ombre, tandis que sa voix chuchotait :

— Anna...! Éloigne-toi de Dany!

14

Pétrifiée de terreur, Anna crut deviner un hideux sourire sur le visage infernal, un sourire vaguement familier :

— Nooon!

Anna n'eut même pas vraiment conscience que ce cri désespéré était sorti de sa propre bouche.

Les yeux de braise se mirent à brûler si vivement qu'Anna se couvrit le visage de ses deux mains.

— Anna, écoute-moi! Éloigne-toi de Dany!

Le souffle de cette bouche était froid comme la mort. D'une voix que la terreur rendait méconnaissable, Anna hurla de nouveau :

— Nooon!

L'Ombre s'approchait, s'approchait encore...

Alors la porte d'entrée s'ouvrit brusquement projetant un large rectangle de lumière sur la pelouse.

— Anna, c'est toi? Qu'est-ce qu'il y a?

Son père était apparu sur le seuil, affolé, fixant l'obscurité avec une attention extrême.

— Papa! cria Anna. Papa, regarde! L'Ombre! L'Ombre! Elle me poursuit! Elle...

Mais il n'y avait plus rien sur la pelouse que la pâle lueur de la lune jouant sur l'herbe et les buissons. L'Ombre avait disparu.

Terrifiée, l'esprit en déroute, Anna se jeta dans les bras de son père.

Elle raconta tout. Elle parla de l'étrange silhouette noire aux yeux de braise. Son père fouilla le jardin et la cour, armé d'une lampe de poche. Il ne trouva rien. Le mystérieux agresseur n'avait pas laissé la moindre trace.

Préoccupée, Mme Dunoy observait Anna, touchant son front, essayant de détecter un quelconque symptôme de fièvre, tâchant de lire dans ses yeux une bribe d'explication.

— Je ne suis pas folle, maman, gémissait Anna. Je l'ai vue! Je l'ai vraiment vue!

— Je sais, ma chérie, calme-toi, l'apaisait tendrement sa mère.

— Je n'ai rien trouvé! dit M. Dunoy, qui rentrait, sa lampe de poche à la main. Est-ce que j'appelle la police?

— Ce n'est pas la peine, papa. Je vais me coucher. Je suis fatiguée.

Anna se leva et se dirigea vers l'escalier. Ses jambes la portaient à peine. Elle monta lentement l'escalier. Soupirant profondément, elle ouvrit la porte de sa chambre. L'Ombre l'attendait à côté de son lit.

15

Anna poussa un cri et fit un bond en arrière.

Alors la lumière du couloir qui pénétrait dans la chambre obscure lui fit comprendre sa méprise : ce n'était qu'un chandail noir à manches longues suspendu sur le dossier de son lit. Anna s'accrocha au chambranle de la porte, prise d'un rire nerveux qui ressemblait à un sanglot.

— Quelle soirée! s'exclama-t-elle.

Elle alluma et referma la porte derrière elle. Quand elle retira le chandail du lit pour le ranger, ses mains tremblaient encore.

Elle se déshabilla et enfila sa chemise de nuit. Puis elle se glissa sous sa couverture en espérant s'endormir le plus vite possible. Mais trop de pensées contradictoires, trop d'images effrayantes se bousculaient dans sa tête. Les ombres des arbres du jardin se tordaient bizarrement sur le plafond. D'habitude, Anna aimait leur danse silencieuse, mais ce soir, elles lui rappelaient une autre ombre surgissant de nulle part, et qui l'appelait par son nom.

Elle tenta de se concentrer sur Dany. Mais une petite phrase obsédante lui revenait indéfiniment : « Dany est un fantôme, Dany est un fantôme! »

Dany avait certainement menti à propos de sa mère. Il avait inventé cette histoire de surdité pour qu'Anna ne se doute de rien. Mais elle n'était pas dupe! Anna ferma les yeux, essayant de faire le vide dans sa tête. Mais le visage de Dany et les yeux flamboyants de l'ombre mystérieuse ne cessaient de danser sur l'écran de ses paupières.

« Si Dany et sa mère sont des fantômes, pourquoi ont-ils choisi la maison d'à côté? Pourquoi l'Ombre veut-elle m'éloigner de Dany? Est-ce qu'elle essaie de m'empêcher de prouver qu'il est un fantôme? D'où vient-elle? Et pourquoi cherche-t-elle à m'effrayer ainsi? »

Finalement, elle s'endormit. Mais les rêves prirent le relais de ses pensées.

Elle se voyait dans une grotte obscure, à l'entrée de laquelle brillait un feu. L'Ombre s'avançait vers elle. Mais non, ce n'était pas l'Ombre, c'était Dany! Dany avec des yeux immenses au fond desquels dansaient des flammes!

Anna s'éveilla en un sursaut, le cœur battant, la bouche sèche.

« Non, se dit-elle en regardant l'aube grise qui montait lentement derrière les carreaux, non, Dany n'est pas l'Ombre! Ce n'est pas possible. Ce ne peut pas être lui! Ce rêve n'a aucun sens! »

Elle repoussa la couverture qui l'étouffait et se leva. Une chose lui paraissait claire : elle devait parler à Dany. Elle ne pourrait pas supporter une autre nuit comme celle-ci! Il fallait qu'elle sache.

Comme elle prenait son déjeuner, elle aperçut Dany par la fenêtre de la cuisine. Il poussait du pied un ballon de soccer. Elle bondit dans la cour :

— Dany! Hé! Dany! Es-tu un fantôme?

16

— Quoi?

Dany lui lança un regard étonné, puis envoya d'un coup de pied le ballon rebondir contre le mur du garage. Se plantant devant lui, Anna répéta sa question :

— Es-tu un fantôme?

Le ballon retomba mollement dans l'herbe.

— Oui, bien sûr! plaisanta Dany.

— Dany, insista-t-elle, le cœur battant, je suis sérieuse!

— De quoi parles-tu? fit-il en se penchant pour se gratter un genou.

« Il me regarde comme si j'étais une folle! » se dit Anna.

— De rien, soupira-t-elle, c'est une blague. Je peux jouer avec toi?

— Ouais, si tu veux, dit-il en dribblant. Tu te sens mieux ce matin?

— Ça va.

— Je veux dire... reprit Dany en lui lançant le
ballon, cette histoire avec M. Chesnay... On a
passé une drôle de soirée!

— J'ai vraiment eu peur pour toi! dit-elle.
Quand la voiture s'est arrêtée, j'ai cru que c'était
la police!

— Ouais, j'ai eu la frousse moi aussi, avoua
Dany.

Il ramassa le ballon et le relança d'un coup de
tête. Anna demanda :

— Est-ce que Fred et Alain vont vraiment au
collège de l'avenue des Ormes?

— Oui, dit Dany. Ils sont dans la même classe
que moi.

— Ils ne sont pas nouveaux ici? questionna
Anna en donnant un coup de pied sur le ballon.
Alors comment ça se fait que je ne les connaisse
pas?

— Comment ça se fait qu'ils ne *te* connaissent
pas? rétorqua Dany en effectuant un plongeon de
champion.

« Il ne veut pas me répondre! Mes questions le
rendent nerveux. Il sait que j'ai deviné la vérité! »

— Alain et Fred veulent retourner chez
M. Chesnay, dit Dany.

— Ils veulent faire QUOI?

— Ils veulent y retourner ce soir, pour se venger. Tu sais, il m'a carrément tordu le bras!

Le ballon roula entre eux. Ils s'élancèrent en même temps. Dany arriva le premier, mais il manqua son coup, trébucha et vint s'étaler dans l'herbe. Anna frappa le ballon, qui alla rebondir contre le mur du garage.

— But! cria Anna.

Dany s'assit lentement, enlevant les brins d'herbe collés à sa chemise.

— Aide-moi à me relever! fit-il en lui tendant les deux mains.

Anna lui tendit les siennes et...

Et ses bras passèrent à travers Dany!

— Mais, cria Dany, qu'est-ce que tu fais? Aide-moi!

Le cœur battant violemment, Anna essaya encore. Et de nouveau ses mains passèrent à travers Dany.

— Je le savais! Je le savais!

— Tu savais QUOI? bredouilla-t-il. Qu'est-ce qui te prend, Anna?

— Arrête ce petit jeu, lança-t-elle.

Elle se sentait glacée, malgré le chaud soleil du matin.

— Je sais la vérité, Dany! Je la sais depuis le début. Tu n'es pas réel. Tu es un fantôme.

— Hein?

Il se releva, abasourdi.

— Tu es un fantôme, Dany, répéta Anna d'une voix un peu tremblante.

— Moi? Tu es tombée sur la tête! Je ne suis pas un fantôme, qu'est-ce que tu racontes?

Sans qu'elle s'y attende, il s'avança vivement vers elle, le bras tendu en avant. Alors sa main traversa la poitrine d'Anna.

Il poussa un hurlement et retira sa main comme s'il s'était brûlé. Ses traits se tordirent en une expression d'horreur indicible :

— Tu... tu... bégaya-t-il.

Anna voulut parler, mais les mots restèrent bloqués au fond de sa gorge. Une main l'avait traversée, et elle n'avait rien senti!

Dany tourna les talons et courut chez lui aussi vite que ses jambes le lui permettaient.

Anna le regarda disparaître sans faire un mouvement jusqu'à ce que la porte ait claqué violemment derrière lui. Alors, totalement désemparée, elle marcha pas à pas vers sa maison. Celle-ci lui parut vaciller sous un ciel d'un bleu si lumineux qu'il en devenait presque aveuglant.

« Je sais maintenant. Ce n'est pas Dany, le fantôme. C'EST MOI! »

Anna se dirigea vers la porte de la cuisine,
puis hésita.

« Je ne peux pas rentrer maintenant. Il faut
d'abord que je réfléchisse à tout ça. »

Elle ferma les yeux, attendant que se dissipe
le vertige qui l'étourdissait. Quand elle les
rouvrit, la lumière du jour lui parut impossible
à supporter, trop brillante, trop vivante.

Elle marcha comme une automate vers le fond
du jardin, l'esprit en déroute.

« Je suis un fantôme. Je ne suis pas vraie. Je
n'existe pas. »

Elle fut tirée de ses étranges réflexions par
un bruit de voix. Des gens approchaient. Elle se
dissimula derrière le tronc du grand érable et
tendit l'oreille.

— C'est une maison ravissante, disait la
voisine, Mme Quentin.

— Mon cousin de Détroit est venu la visiter la semaine dernière, commenta une voix inconnue.

Sortant prudemment la tête hors de sa cachette, Anna aperçut une grande femme mince vêtue d'une robe d'été jaune vif.

— Est-ce qu'elle plaît à votre cousin? demanda Mme Quentin.

— Elle est trop petite!

— Quel dommage! soupira Mme Quentin. Je déteste habiter à côté d'une maison vide!

« Quelle vieille pie! pensa Anna, scandalisée. La maison n'est pas vide! Nous y habitons! C'est chez nous! »

— Depuis combien de temps est-elle inhabitée? reprit la dame en jaune.

— Il n'y a pas eu de nouveaux locataires depuis qu'elle a été remise en état. Après ce terrible incendie, il y a cinq ans.

— Un incendie ? s'étonna la dame. Alors c'était avant qu'on s'installe à Greenwood Falls. Je n'en avais pas entendu parler. Tout a brûlé?

— Presque tout. Ce fut horrible, ma pauvre Élisabeth. Toute une famille prisonnière des flammes! Des gens si gentils! Ils avaient une fille d'une douzaine d'années et deux petits garçons. Ils ont tous péri.

« Mon rêve! Ce n'était pas un rêve, c'était la vérité! Je suis morte dans cet incendie! »

Les larmes roulèrent sur les joues d'Anna et elle dut s'accrocher au tronc pour ne pas tomber.

— Sait-on ce qui a provoqué l'accident? demanda la dénommée Élisabeth.

— Les enfants auraient allumé un feu de camp derrière le garage, ce soir-là. Ils l'ont probablement mal éteint. Dans le garage, il y avait la voiture, des bidons d'essence. Le feu s'est propagé à une telle vitesse! Quand les secours sont arrivés, il était trop tard.

Les deux femmes remontaient vers la rue en secouant la tête.

— La maison a été entièrement rebâtie, expliquait Mme Quentin. Mais depuis cinq ans, aucun nouveau locataire ne s'y est installé.

« Je suis morte depuis cinq ans, pensait Anna, laissant ses larmes couler sans même les essuyer. Pas étonnant que je ne connaisse pas Dany! Pas étonnant que je ne reçoive aucune lettre de mes amies, qu'on me bouscule sans me voir et qu'on ne me réponde pas quand je dis bonjour! »

Anna comprenait maintenant pourquoi le temps lui paraissait parfois immobile ou totalement irréel. Les fantômes vont et viennent.

Parfois, ils se matérialisent suffisamment pour monter à bicyclette ou pour jouer au soccer. Et parfois, ils se défont comme un brouillard et une main peut les traverser.

Anna regarda les deux femmes disparaître derrière la maison voisine. Adossée au large tronc de l'érable, elle était incapable de faire un mouvement. Elle comprenait tout, maintenant, ces jours d'été qui passaient comme un songe, sa solitude, la désagréable impression d'être à côté des choses.

Brusquement, une pensée la traversa :

« Papa et maman ! Les jumeaux ! Est-ce qu'ils savent? »

Quittant l'abri de l'arbre, elle se rua vers la maison.

— Maman! Maman!

Elle poussa la porte de la cuisine tout en appelant :

— Maman! Teddy! Thomas! Où êtes-vous?

La maison était déserte, totalement silencieuse. Ils l'avaient tous quittée.

Pourquoi l'avaient-ils abandonnée? Pourquoi avaient-ils tous disparu?

Jetant un regard autour d'elle, Anna s'aperçut que la cuisine était vide. Plus de rideaux à la fenêtre, plus de pendule au mur, plus de table ni de chaises, plus de boîtes de sucre, de thé et de céréales, plus rien.

— Où êtes-vous? cria-t-elle encore d'une petite voix misérable.

Elle fit le tour des autres pièces. Vides, elles aussi. Plus de meubles, plus de lampes, plus de vêtements dans les placards, plus d'affiches sur les murs ni de livres sur les étagères. Tout avait disparu.

« Ils m'ont laissée! Je suis un fantôme et ils m'ont laissée tout seule! »

— Il faut que je parle à quelqu'un! décida-t-elle à haute voix. À n'importe qui!

Elle regarda le téléphone de l'entrée.

« Mais qui appeler? Personne! Je suis morte. Je suis morte depuis cinq ans. »

Machinalement, elle souleva le récepteur et le porta à son oreille.

Aucune tonalité. L'appareil n'était plus branché. Il était mort, lui aussi.

Avec un gémissement de désespoir, Anna le laissa retomber et il se mit à se balancer doucement au bout de son fil.

Les larmes roulant sur ses joues, elle s'assit sur le sol nu, le front contre ses genoux, le visage enfoui entre ses bras, désirant de toutes ses forces que l'obscurité l'absorbe et la fasse disparaître.

Quand elle releva la tête, elle était plongée dans l'obscurité.

Elle se remit debout, ne sachant plus très bien où elle se trouvait. Alors, levant les yeux vers la fenêtre, elle vit que le ciel, dehors, était d'un bleu très sombre. Il faisait nuit.

« Le temps n'a plus de réalité quand on est un fantôme. »

Anna appela encore :

— Il y a quelqu'un?

Elle n'eut que le silence pour toute réponse, et

cette fois, cela ne l'étonna pas.

Tout à coup, comme elle traversait la pièce vide, elle fut saisie par un intense sentiment d'urgence. Il allait se passer quelque chose. Quelque chose qu'elle devait empêcher.

Mais quoi? Et quand? Tout de suite! Cette nuit!

Alors, debout devant la porte ouverte, elle aperçut Dany qui enfourchait son vélo. Sans même réfléchir, Anna s'élança :

— Dany! Hé, Dany!

Il mit pied à terre et se retourna.

— Non! cria-t-il, pâlissant brusquement. Va-t'en!

— Mais... Dany...

— LAISSE-MOI! VA-T'EN! hurla-t-il avec un geste de la main comme pour effacer une vision.

Agrippant les poignées de son vélo, il s'élança en pédalant comme un fou. Anna courut derrière lui :

— Dany! N'aie pas peur de moi! S'il te plaît, Dany!

Mais il fila sans se retourner et disparut au tournant. Alors l'étrange sentiment d'urgence saisit encore Anna.

« Je sais où il va : retrouver Alain et Fred

devant chez M. Chesnay pour se venger! Et quelque chose de terrible va arriver! »

Elle courut au garage. Il était vide, lui aussi. Il ne restait qu'une seule chose : le vélo rouge d'Anna appuyé contre le mur.

En s'approchant de la maison du postier, Anna vit qu'il avait réparé sa boîte aux lettres. Le cygne sculpté déployait de nouveau ses deux ailes de bois. Laissant son vélo, elle s'avança prudemment de l'autre côté de la rue.

Les trois garçons étaient bien là, dissimulés derrière la haie qui entourait le jardin de M. Chesnay. Le postier était-il chez lui? Anna n'en était pas sûre.

Sa voiture n'était pas garée dans l'allée.

Alain et Fred poussaient Dany pour l'obliger à démolir de nouveau la boîte aux lettres. Elle les entendait chuchoter :

— Plus fort! Vas-y, quoi!

— Non mais, regardez cette mauviette!

Ils faisaient trop de bruit! Anna jeta un coup d'œil inquiet vers la porte d'entrée, s'attendant à voir surgir M. Chesnay armé de son fusil.

Dany s'escrimait de toutes ses forces sur la malheureuse boîte, qui finit par céder un peu, le piquet penchant dangereusement vers le sol. Dany le secoua d'avant en arrière, tentant de le déraciner tout à fait. Et finalement, la boîte aux lettres tomba sur le flanc. Les trois complices s'envoyèrent de grandes claques dans le dos. Fred ramassa le trophée et le promena de long en large comme un drapeau conquis sur l'ennemi. M. Chesnay ne se montrait toujours pas. Mais alors, pourquoi Anna ressentait-elle plus fort que jamais le sentiment d'une menace?

Les garçons étaient maintenant au milieu de la rue, discutant vivement. Fred dit quelque chose qu'Alain approuva bruyamment, tandis que Dany protestait. Mais Anna n'arrivait pas à saisir un seul mot.

Un souffle de vent tiède agita les buissons. Anna recula dans l'ombre sans quitter les garçons des yeux. Ils discutaient avec animation, parlant tous les trois en même temps. Puis Anna aperçut une petite flamme qui s'éteignit presque aussitôt.

« Une allumette », pensa-t-elle.

Alors elle vit qu'Alain tenait à la main une grosse boîte d'allumettes.

Qu'est-ce qu'ils mijotaient encore?

Dans la maison, tout était silencieux.

« Partez! Partez, n'attendez pas! » suppliait-
elle comme si elle pouvait les convaincre par la
pensée. Mais au lieu de s'en aller, ils entrèrent
dans le jardin, se courbant pour ne pas être
vus d'une fenêtre. Anna sentit un frisson
d'appréhension lui courir le long du dos. Elle
traversa la rue et se cacha derrière la haie.
Elle ne les entendait plus. Ils devaient être tout
près de la maison maintenant. Elle se releva
prudemment.

Alors elle les vit. Alain en tête, ils
contournaient le bâtiment. Puis Alain fit la
courte échelle à Dany pour l'aider à s'introduire
à l'intérieur par une fenêtre ouverte. Il grimpa
derrière lui à son tour, poussé par Fred qu'il tira
ensuite par les mains.

Alors Anna courut vers eux :

— Non! Non, ne faites pas ça!

Avait-elle vraiment crié? Il lui semblait que sa
voix n'était qu'un murmure.

D'ailleurs, c'était trop tard. Ils avaient pénétré
dans la maison.

Anna s'élança. Mais à peine avait-elle fait
trois pas qu'une main glacée lui enserra la
cheville, l'empêchant d'avancer.

19

Anna étouffa un cri.

Comme elle se débattait pour se libérer, elle réalisa qu'elle s'était simplement pris le pied dans les anneaux d'un tuyau d'arrosage.

Poussant un soupir de soulagement, elle se dégagea et courut vers la fenêtre ouverte.

Ce côté de la maison était sombre et la fenêtre, trop haute pour permettre à Anna de voir ce qui se passait à l'intérieur.

Elle entendait les pas des garçons, leurs chuchotements, leurs rires étouffés.

« Mais que font-ils donc? » se demandait-elle, remplie d'angoisse.

Comment pouvait-on être aussi téméraire et imprudent? Elle n'arrivait pas à le comprendre! Les phares d'une voiture illuminèrent la haie. Anna sursauta, puis se baissa vivement. Était-ce M. Chesnay? Le postier était-il de retour juste à temps pour surprendre les intrus chez lui? Anna voulut crier pour prévenir les garçons, mais sa voix resta coincée au fond de sa gorge.

La lumière des phares glissa sur la maison. L'obscurité revint.

La voiture était passée. Ce n'était pas celle de M. Chesnay.

Anna se redressa et s'approcha de la fenêtre, décidée à faire tout ce qu'elle pourrait pour obliger les trois inconscients à sortir de là avant qu'il soit trop tard. Et de nouveau le sentiment qu'une menace terrible pesait sur Dany la saisit si violemment qu'elle se mit à crier de toutes ses forces :

— Dany! Dépêche-toi de sortir de là! Je t'en prie, Dany!

Dressée sur la pointe des pieds, elle tentait d'apercevoir quelque chose. Une vague lueur orange s'alluma quelque part au fond de la pièce.

— Qu'est-ce que vous faites? hurla Anna. Vous êtes fous! Éteignez tout de suite, vous allez vous faire repérer!

Pourquoi, grand Dieu, avaient-ils allumé une lampe? Mais la lueur orange devint une lumière jaune, une lumière qui dansait. Anna la reconnut tout de suite. Ce n'était pas une lampe.

C'était le feu.

Ils avaient mis LE FEU!

Pétrifiée d'horreur, Anna couvrit son visage de ses mains. Puis elle se mit à hurler :

— Sortez! Sortez de là tout de suite!

Déjà elle sentait l'odeur âcre de la fumée. Elle entendait des voix affolées, des bruits de pas courant dans tous les sens.

Essayaient-ils d'éteindre les flammes? De nouveau, elle tenta de les appeler. Alors une ombre immense recouvrit le mur de la maison. Anna se retourna.

Il était revenu, il était là, derrière elle, ses yeux incandescents trouant son visage de nuit.

— Anna... Anna... murmura la voix semblable au froissement des feuilles mortes. Anna, éloigne-toi de Dany!

— Noooon! hurla-t-elle d'une voix perçante.

Un souffle glacé et brûlant à la fois l'enveloppa tandis que l'Ombre se rapprochait d'elle à la toucher.

— Anna...! Anna, éloigne-toi...!

— Qui êtes-vous? lança-t-elle. Que voulez-vous?

Elle entendait dans son dos le crépitement des flammes, des cris, une bousculade. Des volutes de fumée noire qui sortaient par la fenêtre semblaient s'enrouler autour de l'Ombre comme pour caresser un animal familier. Et l'Ombre approchait, approchait encore...

Anna hurla, levant les bras dans un geste dérisoire pour se protéger.

20

Il y eut une bousculade derrière Anna, des cris. L'Ombre s'évanouit.

Alain venait de sauter par la fenêtre. Il fixa Anna avec des yeux épouvantés :

— Les allumettes... bégaya-t-il, c'était seulement pour nous éclairer! On ne voulait pas! On ne voulait pas faire ça!

La silhouette de Fred se dessina à son tour dans l'ouverture de la fenêtre illuminée par la lueur du feu. Il sauta, se recevant durement sur les coudes et les genoux.

— Il... je veux dire... M. Chesnay... il devait être en train de repeindre cette pièce. Il y avait des pots de peinture par terre, un bidon d'essence. Une allumette est tombée... le feu a pris! On a essayé de l'éteindre... on n'a pas pu!

— C'est un accident! répétait nerveusement Alain. Un accident! On ne voulait pas!

Anna les regardait, horrifiée.

— Et Dany, murmura-t-elle, où est Dany?

— Dany? s'étonna Fred, qui n'avait pas l'air de comprendre.

— Dany? dit Alain.

Puis, réalisant que Dany était encore à l'intérieur, ils se mirent à hurler :

— Dany! Qu'est-ce que tu fais? Sors de là! Sors de là tout de suite!

Seul le rugissement des flammes leur répondit.

— Il est resté là-dedans! cria Fred. Il va brûler!

— Viens, dit Alain en tirant son copain par la manche. On va chercher de l'aide!

Et tous deux remontèrent la rue en courant et en appelant.

Anna était seule maintenant dans la lumière de l'incendie.

Elle savait ce qu'elle devait faire. Elle devait sauver Dany.

Sautant pour agripper le rebord de la fenêtre, elle tenta de se hisser.

Alors de nouveau, l'obscurité tomba sur elle comme un voile. L'Ombre était de retour.

— Anna... murmura la voix. Anna, éloigne-toi!

— NON! rugit-elle, oubliant sa peur. Je dois sauver Dany!

— Anna... reprit la voix, tu ne le sauveras pas!

L'Ombre se penchait comme pour l'absorber, l'étouffer.

— Laissez-moi! cria-t-elle. Qui êtes-vous? D'où venez-vous? Qu'est-ce que vous me voulez?

Les yeux de braise flambèrent dans la face de nuit, mais l'Ombre ne répondit rien.

« Dany est prisonnier des flammes, et je dois le tirer de là! pensait désespérément Anna. Il faut que je grimpe à cette fenêtre! Il le faut! »

— VA-T'EN! cria-t-elle.

Exaspérée, elle lança ses mains en avant, les doigts recourbés comme des griffes pour en labourer la face de l'Ombre.

Le voile noir sembla se déchirer et un visage apparut, horrible, grimaçant, et pourtant étrangement familier.

Le visage de Dany!

21

Anna resta pétrifiée, incrédule, envahie par un tel sentiment d'horreur que le souffle lui manqua. Une odeur de tombeau, humide et glacée, la prit à la gorge tandis que le visage de Dany lui souriait affreusement, une lueur dansant dans ses yeux incandescents.

— Non! hurla Anna. Tu n'es pas Dany! Ce n'est pas vrai!

Le sourire s'élargit sur la face rougeoyante :

— Je suis LA MORT de Dany! prononça la bouche d'ombre. Je suis venu le prendre et je ne te laisserai pas me l'enlever!

— Non! Non! cria Anna en levant les poings. Dany ne mourra pas! Tu n'existes pas!

Le visage monstrueux se plissa en un rictus infernal :

— C'est trop tard, Anna! Trop tard!

— TU MENS!

Poussée par l'urgence, Anna avait oublié sa peur. Se détournant du spectre, elle agrippa des deux mains le rebord de la fenêtre. Il était brûlant.

Se hissant de toute la force de ses poignets, Anna réussit un rétablissement et sauta dans la pièce envahie par la fumée.

« Je suis un fantôme, songeait-elle en avançant vers un mur de flammes. Un fantôme ne peut pas mourir. Un fantôme n'a rien à craindre du feu! » Protégeant son visage avec ses bras, elle essayait de distinguer quelque chose au milieu de la fournaise.

— Dany! cria-t-elle. Dany, où es-tu? Je ne te vois pas, réponds-moi!

Anna avança encore. Des meubles flambaient dans un coin. La peinture, sur les murs, se boursouflait en cloques hideuses.

— Dany! Réponds-moi, Dany!

Cette fois, elle entendit une plainte assourdie. Par le chambranle enflammé d'une porte, elle l'aperçut. Dany s'était réfugié dans la pièce du fond. Mais à présent, il était pris au piège.

— Dany!

Adossé au mur, les mains levées devant son visage, il tentait désespérément de se protéger de la fumée et de la chaleur infernale.

« Je ne peux pas passer à travers les flammes, pensa Anna, soudain épouvantée. Je ne peux pas! » L'espace d'un instant, elle eut la tentation de retourner en arrière, de fuir vers la fenêtre ouverte. Alors de nouveau, elle se souvint : « Tu es un fantôme, Anna. Tu peux faire ce que les vivants ne font pas. »

Au milieu du ronflement du feu, un appel désespéré s'éleva :

— Au secours!

Sans hésiter davantage, Anna traversa le mur de flammes... et ne sentit rien. Elle pénétra dans l'autre pièce, envahie par la fumée. Le feu rampait déjà le long des murs, dévorait les meubles, les rideaux, les tapis.

— Au secours!

Pétrifié, les yeux agrandis par la terreur, Dany ne semblait pas la voir.

Elle l'agrippa par les poignets.

— Viens! ordonna-t-elle.

Les flammes se courbèrent sous l'effet d'un courant d'air, comme des bras de feu cherchant à saisir les deux enfants.

— Viens!

Mais elle avait beau le tirer, il résistait de

toutes ses forces.

— Je ne peux pas! cria-t-il. Je ne peux pas!

— Il le faut, Dany!

La chaleur était si intense qu'Anna avait l'impression de n'être plus elle-même qu'une flamme tourbillonnante. Aveuglée, elle ferma les yeux.

— Il le faut, Dany, répéta-t-elle.

Et elle tira, tira...

Une fumée noire les enveloppa.

Tirant Dany derrière elle avec une force dont elle ne se serait jamais crue capable, Anna retraversa le mur de flammes.

Elle n'ouvrit pas les yeux avant d'avoir atteint la fenêtre. Elle poussa Dany dehors, puis sauta à son tour.

À quatre pattes dans l'herbe, toussant, pleurant, elle reprit enfin son souffle, aspirant l'air frais de la nuit. Alors, levant les yeux, elle crut voir dans l'obscurité une longue silhouette noire qui s'enflammait brusquement, se tordait et brûlait en un instant comme une torche.

Peut-être n'était-ce que le reflet de l'incendie sur le feuillage luisant des arbres.

Anna se pencha vers Dany, étendu sur le dos, le visage noirci, une expression incrédule au fond de ses yeux bruns.

— Merci, Anna, murmura-t-il. Merci.

Mais Anna n'était plus qu'un peu de brouillard en train de se dissoudre dans la nuit.

22

Mme Anderson se pencha sur son fils, remontant la couverture sur sa poitrine.

— Comment te sens-tu, mon chéri?

Deux heures seulement s'étaient écoulées depuis le drame. Les secours étaient arrivés très vite. Les pompiers avaient maîtrisé rapidement l'incendie et l'équipe médicale d'urgence avait soigné Dany sur place.

Il ne souffrait que de légères brûlures et d'un début d'intoxication due aux émanations.

— Rien de grave! avait-on rassuré sa mère quand l'ambulance l'avait ramené chez lui.

Maintenant, Dany était étendu dans son lit, encore en état de choc.

Mme Quentin se tenait dans un coin, silencieuse. Dès qu'elle avait su la nouvelle, elle était accourue pour offrir son aide à sa jeune voisine.

— Je vais bien, maman, murmura Dany. Je me sens juste un peu... fatigué.

Sa mère lisait sur ses lèvres en caressant le visage aux sourcils brûlés.

— Comment as-tu réussi à sortir de la maison, Dany?

— C'est Anna, maman. C'est Anna qui est venue me chercher.

— Qui ça? s'étonna sa mère. Qui est Anna?

— Mais tu sais bien, Anna, la fille d'à côté.

— Il n'y a pas de fille dans la maison d'à côté, dit sa mère. N'est-ce pas, Mme Quentin?

Sans bouger de sa place, la voisine secoua la tête :

— Il n'y a personne. La maison est inhabitée.

Dany se redressa brusquement sur son lit :

— Mais moi, je la connais! Elle s'appelle Anna! Anna Dunoy! C'est elle qui m'a sauvé la vie!

— Ts-ts-ts, fit Mme Quentin d'un air indulgent. Anna Dunoy est morte il y a cinq ans. C'est sans doute la fièvre qui le fait délirer!

— Recouche-toi, mon petit, dit sa mère en le repoussant avec douceur contre l'oreiller. Repose-toi. Tout va bien à présent.

— Où est Anna? insista Dany. Je veux la voir!

Anna regardait la scène depuis la porte.

Aucune des trois personnes présentes ne la voyait, elle s'en rendait compte. Elle avait sauvé Dany. Et maintenant la pièce, les gens, tout s'évanouissait lentement dans une brume lumineuse.

« Cinq ans après le drame, pensait Anna, nous sommes revenus dans notre maison, ma famille et moi. Et c'était pour empêcher Dany de mourir comme nous, dans un incendie! »

— Anna... Anna...!

Une voix l'appelait au loin, une voix familière, une voix aimée.

— C'est toi, maman?

— Il est temps, murmura la voix. Reviens avec nous, Anna.

— J'arrive, maman.

Elle jeta un dernier regard sur le lit où reposait Dany. Elle le voyait à peine. Son image s'effaçait lentement. La chambre tout entière s'effaçait, et la maison, et le monde des vivants.

— Reviens, Anna, murmurait la voix de sa mère, reviens parmi nous!

Anna se sentait disparaître, s'effilocher comme un lambeau de brouillard.

Elle regarda Dany une dernière fois.

— Je le vois encore, maman! dit-elle, écrasant

d'un geste de la main les larmes qui brouillaient sa vue. Je le vois encore, mais la lumière baisse!

— Viens, Anna, viens avec nous! répétait tendrement la voix.

— Dany! Souviens-toi de moi! cria-t-elle vers son ami dont elle apercevait pour la dernière fois le visage dans une brume argentée.

L'avait-il entendue? Pouvait-il encore entendre? Anna l'espérait.

FIN